**L E   G O Û T   D E S   M O T S**

UNE COLLECTION DIRIGÉE PAR PHILIPPE DELERM

Les mots nous intimident. Ils sont là, mais semblent dépasser nos pensées, nos émotions, nos sensations. Souvent, nous disons : « Je ne trouve pas les mots. » Pourtant, les mots ne seraient rien sans nous. Ils sont déçus de rencontrer notre respect, quand ils voudraient notre amitié. Pour les apprivoiser, il faut les soupeser, les regarder, apprendre leurs histoires, et puis jouer avec eux, sourire avec eux. Les approcher pour mieux les savourer, les saluer, et toujours un peu en retrait se dire je l'ai sur le bout de la langue – le goût du mot qui ne me manque déjà plus.

Ph. D.

Christophe

438-407-1799

# Au secours !

# Les mots m'ont mangé

Bernard Pivot
DE L'ACADÉMIE GONCOURT

# AU SECOURS ! LES MOTS M'ONT MANGÉ

*Allary Éditions*

TEXTE INTÉGRAL

ISBN 978-2-7578-6405-0
(ISBN 978-2-37073-089-3, 1re publication)

*Au souvenir de François Périer*

# En un mot commençant

Comme il est agréable de se laisser aller de temps à autre à la fantaisie, à la loufoquerie, à une vision ébouriffante de la réalité ! *Au secours ! Les mots m'ont mangé* est la complainte d'un écrivain qui a toujours eu l'impression d'être esclave des mots plutôt que leur maître. Leur subordonné plutôt que leur ayant droit. Mais n'est-ce pas après tout le sentiment que beaucoup d'auteurs éprouvent sans avoir le courage de le reconnaître, préférant la posture du libre graphomane à la situation du gensdelettres enchaîné ?

Les mots, leur choix, leur appropriation, leur utilisation, leur agencement, sont l'obsession des écrivains. Leur multitude est effrayante. De leur disponibilité naît l'impression d'une toute-puissance sur eux alors que leur paisible tranquillité est un leurre : malins, subtils, ils s'introduisent en permanence dans la tête des écrivains et gouvernent au moins autant leurs pensées qu'ils se plient à leur réflexion. Dans le combat qui les oppose les mots ne crient jamais victoire. Ils sont silencieux et modestes. Ils abandonnent aux signataires la gloire du Goncourt et du Nobel. A-t-on déjà vu un lauréat remercier les mots de leur collaboration ?

Ce petit texte qu'on va lire, qui célèbre la puissance des hôtes du dictionnaire, a été écrit pour être dit sur scène. Pour être joué. Ayant le projet d'une série de spectacles sur le thème du langage, Jean-Michel Ribes m'avait demandé une contribution pour son théâtre du Rond-Point. Ce que je fis, y trouvant bien du plaisir. Et de l'amusement quand, une demi-douzaine de fois dans la salle Jean Tardieu, puis à l'opéra de Nancy, pendant la fête du Livre sur la place, j'interprétai ma pochade, le texte sous les yeux. Il va de soi qu'un vrai comédien en obtiendrait de bien meilleurs effets.

Avec cet écrivain qui raconte sa vie depuis sa naissance jusqu'à sa comparution devant Dieu, je n'ai d'autre lien que la proximité de l'âge, ainsi que l'amour et la crainte des mots. Normalien, agrégé de lettres, prix Goncourt, il a été mon invité à *Apostrophes*, je le confirme. Ce n'est pas mon auteur préféré, mais j'ai décidé de squatter son bureau, car j'apprécie sa manière de jouer avec les mots et sa conscience d'en être le jouet. Il n'est pas interdit d'être ému par son douloureux parcours, quoique chatoyant et cocasse.

*

J'ai toujours regretté, depuis ma naissance, de n'avoir pas été le premier bébé au monde à parler.

Sitôt sorti du ventre de ma mère, j'aurais dit :

– Pardon, maman, je t'ai fait mal ?

Et puis :

– Mon père n'est pas là ?

Et puis, déjà très sportif :

– Allez les Verts !

Et encore, déjà très littéraire :

– Comment est-il, le Goncourt, cette année ?

Je suis sûr que pendant les neuf mois de résidence dans le ventre de nos mères, nous avons enregistré beaucoup de mots, et même des phrases, que nous pourrions restituer dès notre naissance si physiologiquement nous en étions capables.

Mais il en est de nos premiers mois sur terre comme des derniers : le corps ne suit pas ! le corps ne suit plus !

Même Jésus, bébé dans la crèche, n'a pas dit un seul mot. C'était pourtant le fils de Dieu ! Un potentiel intellectuel énorme ! Je pense qu'il n'a pas voulu effrayer ses parents. Et le premier miracle de Jésus, tout d'humilité, c'est qu'au lieu de prononcer ce qu'on aurait appelé « le sermon de la crèche », il s'est contenté, comme nous tous, de vagir.

Tandis que moi, déjà très directif, très réactif, très impulsif, dès mon premier bain, j'aurais dit : – Oh là là, mais c'est trop chaud !…

Ou bien, jetant un tendre regard vers la poitrine gonflée de ma mère : – Maman, j'ai faim.

Je suis sûr que les bébés éprouvent une vraie souffrance à ne pas pouvoir prononcer les mots qu'ils stockent dans leur tête et qui leur encombrent la bouche. Ce qu'on prend pour des glaires, ce sont des mots liquides.

Ah, que n'ai-je été un nouveau-né capable de parler, même en commettant quelques fautes de syntaxe et de conjugaison ! J'eusse été le premier bébé surdoué.

Toutes les radios autour de mon berceau (il n'y avait pas encore la télévision, sinon c'était le journal de 20 heures !), tous les photographes, tous les journalistes, tous les reporters.

– Comment expliquez-vous votre précocité ?

Je serais couché dans mon berceau et ils m'auraient mis un micro-bavoir.

– Ce n'est pas de la précocité, c'est du rattrapage.

– Êtes-vous un mutant ?

– Non, je ne suis même pas un hétéromorphe. Je ne suis, *mutatis mutandis*, qu'un petit homme qui jacte, c'est tout ! (Je l'aurais fait modeste.)

– Savez-vous lire et écrire ?

– Ah, non, pas du tout ! Je ne sais ni lire ni écrire, je sais simplement parler. C'est déjà pas mal, hein, vu mon âge ! Trois mois et demi... Ne m'en demandez pas trop !

– Vous n'avez pas peur, en parlant très tôt, de n'avoir, plus tard, plus rien à dire ?

– Ah, c'est un risque, j'en conviens ! Je n'y avais pas pensé. Merci de m'avoir prévenu…

– Y a-t-il des mots que, déjà, vous préférez à d'autres ?

– Oui. Papa maman. Vous voyez, je suis un bon petit garçon…

J'étais effectivement un bon petit garçon, mais un bébé pas plus doué que les autres, qui a dit papa et maman en même temps que les autres, et peut-être même un peu plus tard.

Mais j'ai toujours rêvé d'être comme ces bébés en celluloïd qu'on agite et qui se mettent à parler. Sauf que, moi, j'aurais été en chair et en os, et on n'aurait pas eu besoin de me secouer pour que j'engage la conversation.

Ah, oui ! J'aurais aimé naître en disant :

– J'apporte un scoop : je parle !

*

J'ai donc appris à lire et à écrire. À l'école communale. Un jour, l'instituteur nous a dit :

– *F - e - deux m - e* se prononce femme.

– Mais, lui dis-je, il n'y a pas de *a* dans femme ?

– C'est exact. Bien vu. Mais c'est comme ça : le *e* de femme se prononce *a*.

Alors, je me suis dit : « Oh là là, je sens qu'avec les femmes, ça va être compliqué… »

Et ça l'a été, je ne me suis pas trompé…

*

En rentrant de l'école, puis du collège, j'aimais beaucoup jouer avec mon copain, *Petit Larousse*. Allant d'un mot à l'autre, c'était comme une partie de saute-mouton. Les moutons sont toujours en troupeau, les mots aussi. Il y avait même des mots-chèvres. Les mots-chèvres sont des mots capricieux, têtus, rebelles. Je n'arrivais pas à les garder, à les retenir. Comme *enchifrené*, *condescendance*, *libation*, *sagacité*, *rasséréné*, *burlesque*… Je les notais sur un carnet à trois sous, je les apprenais par cœur, mais, comme les biquettes, ils n'en faisaient qu'à leur tête et ils s'échappaient…

Heureusement, la plupart des mots sont dociles. Ils n'aiment rien tant qu'on vienne les visiter dans le dictionnaire. Il me semble même qu'ils jouaient des coudes, qu'ils se bousculaient pour attirer mon attention. Quoi de plus agréable pour un petit garçon, puis pour un adolescent, de sentir que les mots recherchent sa compagnie et qu'ils l'aiment !

Mes camarades s'évadaient à travers des photographies, des cartes postales, des films. Ils avaient besoin d'images. Moi, j'avais besoin de mots. Il me semblait que la plupart des mots s'ouvrent sur des points de vue et des aventures autrement plus prometteurs que les images.

Et puis les mots sont discrets, ils occupent très peu de place dans le dico, trois ou quatre lignes, pas plus. Même *orgueil* et *vanité* ne s'étalent pas. *Dictateur*, *despote*, *tyran* ont dû se plier, eux aussi, au calibrage. *Anar*, *anarchie*, *anarchique*, *anarchisant*, *anarchisme*, *anarchiste* ont dû se résoudre à être rangés, bien en ordre, disciplinés, les uns à la suite des autres.

*Le Petit Larousse* et *Le Petit Robert* sont des écoles de l'obéissance et de la modestie.

Je découvrais qu'ils contenaient plein de mots rigolos, qui étaient faits de redoublements de voyelles ayant la même assonance, comme *abracadabrant*, *nunuche*, *rikiki*, *blablabla*, *hurluberlu*, *zigouigoui*, *taratata*, *tohu-bohu*, *chachacha*, *cocorico*... Souvent, je m'endormais en me répétant deux ou trois de ces mots bizarres et comiques. C'étaient mes doudous. Le mot doudou était mon doudou chéri.

À l'époque, mes mots préférés étaient ceux qui me promettaient des choses que j'ignorais parce que je n'y avais pas encore accès, parce que ce n'était pas de mon âge, parce que ce serait pour plus tard. Par exemple, les mots *majorité*, *indépendance*, *liberté*. Bon, la liberté de conscience, c'était un peu trop calé pour moi. Mais la liberté de mouvement et la liberté d'expression, je voyais bien ce qu'elles représentaient. Elles me manquaient. Surtout la liberté d'expression.

Ah, pouvoir dire où je voulais, quand je voulais, à qui je voulais, les mots *cul*, *putain*, *merde*, *con*, enfin, bref, ceux qu'on appelle les gros mots – au demeurant tous dans le dictionnaire –, voilà qui m'aurait plu. Car je sentais bien que ce sont des mots qui donnent plus rapidement du poil au menton. Les gros mots vous font grandir plus vite que les autres.

Il y avait des mots au-dessus desquels je rêvais longuement. Par exemple, *enchantement*, *enchanter*, *enchanteur*. Ma vie serait-elle un jour enchantée ? Et qu'est-ce qui pourrait la faire décoller de la grisâtre réalité ? Un enchanteur ? Une enchanteresse ? Je n'aimais pas Merlin, ses sortilèges, ses tours de passe-passe, ses trucs. Merlin, dit l'Enchanteur, est un tricheur. Harry Potter est un tricheur. Je n'aurais pas été un fan de Harry Potter. Tous ces magiciens ou toutes ces fées qui ont des dons surnaturels, je m'en méfiais. Ils ne sont pas des nôtres.

Mon enchanteresse ne tirerait ses philtres et ses charmes que de la lumière de son visage, de la musique de sa voix, de la gaîté de sa conversation. Rien que de l'humain, du naturel. Une enchanteresse bio, en somme. Comme celle de Baudelaire :

« *Suis-je, pour vous-même, ô blonde enchanteresse*
*Un timide écolier qui rêve de vos yeux…* »

L'écolier rêvait aussi sur l'adjectif *désinvolte*. Joli mot, élégant, souple, qui a de l'allure et du panache. C'était aussi un mot pour plus tard, parce qu'au collège et au lycée l'élève désinvolte est considéré comme un paresseux ou un j'm'enfoutiste. Mais je pressentais que chez les adultes la désinvolture pouvait apporter à l'existence de la légèreté et du charme, qu'il y aurait du plaisir à ne pas se plier à toutes les règles et que, de temps en temps, un peu d'égoïsme ou d'insolence ne serait pas sans agrément. Je m'étais promis d'écrire un roman qui aurait ce beau titre *La Vie désinvolte*. Je ne l'ai pas écrit. Trop de désinvolture, probablement.

Et puis, dans la partie des noms propres du *Petit Larousse*, il y avait plein de mots qui étaient des invitations au voyage. Attention ! Londres, Moscou, Pékin ou Le Caire ne m'intéressaient pas. Ni Paris, Reims, Lille, Brest ou Nice. Ce sont des noms trop simples, pas assez mystérieux, pas assez exotiques. Par sa sonorité ou sa beauté, le nom du pays ou de la ville devait happer et retenir mon imagination. Ainsi, voyageur immobile et infatigable, j'allais de *Chicoutimi* à *Tegucigalpa*, de *Saint-Amour* à *La Chaise-Dieu*, du *Machu Picchu* aux *îles Galapagos*, de *Marnes-la-Coquette* à *Novossibirsk*. Tout à coup, je tombai sur le mot *Ouzbékistan*. Mais c'est quoi, l'*Ouzbékistan* ? Où c'est, ça ? Un pays d'Asie peuplé d'Ouzbeks ! Ce nom d'*Ouzbékistan* ne fait-il pas plus rêver que n'importe quelle image du pays ?

Avec ses noms communs et ses noms propres, *Le Petit Larousse* a été ma première agence de voyages. Sûre, commode, rapide, universelle. Les dictionnaires sont les meilleures agences de voyages au monde.

*

Ce qui m'a toujours paru le plus compliqué, c'est la communication amoureuse. Quels mots employer ? Ou ne pas employer ? Qu'est-ce qu'une déclaration d'amour réussie ? Ou ratée ?

Ma première déclaration d'amour a été pour Henriette. Je lui ai dit : – Henriette, je t'aime !

Elle m'a regardé, étonnée, et elle m'a répondu :

– Tu ne pourrais pas trouver une formule un peu plus originale ?

– Excuse-moi…

– Écoute, tu es en hypokhâgne. Tu vas faire khâgne, Normale sup, tu veux devenir écrivain. Très bien. Mais tu ne peux déjà plus parler comme tout le monde. « Je t'aime », c'est un cliché, et tu devrais d'ores et déjà rayer de ta conversation ce genre de phrases banales, éculées.

J'aurais dû répondre à Henriette que les plus grands écrivains ont dit ou ont écrit « je vous aime » ou « je t'aime ». Balzac, Stendhal, Zola, George Sand, Colette, Simone de Beauvoir, Saint-Exupéry, etc., j'ai vérifié. Mais, à l'époque, je ne savais pas. Et je me suis convaincu que les écrivains refusaient la facilité du « je t'aime ». Il fallait donc trouver autre chose pour déclarer ma flamme.

Alors j'ai dit :

Dialecticien :

– Delphine, dès que je vous vois, je sens une boule qui m'oppresse la poitrine, et si cette boule n'est pas de l'amour, je ne vois pas bien ce que ça peut être…

Canaille :

– Ah, Josette, j'en pince pour toi ! Ah, oui !

Prudent :

– Si je vous disais, Mathilde, que là, en ce moment, j'éprouve pour vous un sentiment amoureux très vif, est-ce que vous prendriez bien la chose ?

Racinien :

– À toi, Camille… « Je me livre en aveugle au transport qui m'entraîne ».

Mathématique :

– 1 + 1 = 2, mais, si tu en es d'accord, Simone, nous 2, nous ne ferons plus qu'1.

Lyrique :

– Voudrais-je empêcher mon cœur de parler que je ne le pourrais pas. Et qu'est-ce que dit mon cœur ? Mon cœur te dit, Paulette, qu'il a pour toi une très forte inclination, un penchant irrésistible, que tu exerces sur lui un tropisme inouï.

Paulette m'a regardé, un peu étonnée, et elle m'a dit :

– Tu ne peux pas dire « je t'aime », comme tout le monde ?

*

Je me suis interdit très tôt les petits surnoms amoureux. Un Normalien ne peut pas se permettre de bêtifier avec des « mon cœur », « mon ange », « ma colombe », « ma tourterelle », « ma lionne adorée »...

Et j'ai tout de suite mis le holà aux niaiseries dont voulaient me gratifier des femmes bien intentionnées, certes, mais stupides. Moi, agrégé de lettres, leur « canard » ? Leur « minou » ? Leur « mickey » ? Leur « roudoudou » ? Leur « tigre du Bengale » ? Leur « vampire adoré » ? Non, mais je rêve...

J'ai été consterné quand j'ai appris que Jean-Paul Sartre appelait Simone de Beauvoir son Castor...

Françoise Sagan appelait Bernard Frank Minou...

Et Paul Valéry, ce poète si intelligent, cet intellectuel si subtil, comment appelait-il sa maîtresse,

Jeanne Voilier ? Goélette ! (Voilier-goélette). Et puis aussi Jasminou… Oh ! Valéry…

Et Juliette Drouet qui appelait Victor Hugo, le grand Hugo, mon Toto…

Pas question pour moi de tomber dans ce genre de ridicule.

Pourtant, quand un homme et une femme sont très amoureux l'un de l'autre, dans l'intimité ils ressentent le besoin de se donner des petits noms affectueux. Moi aussi, je ressentais ce besoin, mes fiancées également. Comment faire ? Eh bien, pour ne pas sombrer dans les nunucheries, pour rester dans un langage de bonne tenue, de bon aloi, nous nous donnions des noms de figures de rhétorique. – « Mon anaphore », lui disais-je, la main sur le cœur.

– « Mon oxymore adoré », me répondait-elle, les yeux enamourés.

Je lui disais : – Tu es mon allégorie et je suis ton paradoxe.

Elle me disait : – Jure-moi que je ne serai jamais ni ton ellipse ni ton apocope.

– Mais non, ne crains rien, ma métaphore chérie.

Oh, que nous en avons susurré des « ma belle anacoluthe », « ma tapinose adorée » (la tapinose est une sorte d'euphémisme)... Ma tapinose adorée... C'était le bon temps...

Je vous le demande : a-t-il existé, dans leur intimité, des couples ayant plus de style ? Toutes les femmes que j'ai eu la chance d'aimer et dont j'ai eu le plaisir d'être aimé sont aujourd'hui incollables sur les figures de la rhétorique française.

J'ai même connu une Normalienne, agrégée de lettres, comme moi, qui, pour rendre notre couple plus littéraire, me donnait, de temps à autre, des prénoms d'écrivains célèbres.

Par exemple, elle me disait :

– Louis-Ferdinand, ce que tu peux être grognon ce matin !

Ou bien :

– Honoré, veux-tu un autre café ?

Ou encore :

– Ne perds pas ton temps, Marcel, tu sais bien qu'il ne se rattrape pas.

Un soir que nous faisions l'amour, elle s'est soudain exclamée : – Arrête, Donatien ! Arrête, Donatien ! Tu me fais mal !

Grâce à cette fiancée normalienne, j'ai eu la merveilleuse illusion de vivre la vie de grands écrivains avant même d'avoir écrit mon premier livre.

*

Faire plaisir aux femmes ? Comment ne pas s'y employer avec constance et détermination ?

Par exemple, j'ai tout de suite été favorable à la féminisation des noms de métier, fonctions, grades ou titres.

Un président, une présidente.

Un écrivain, une écrivaine.

Un facteur, une factrice.

Un coureur, une coureuse.

Un lieutenant, une lieutenante.

Un assassin, une assassine.

Un tribun, une tribune… Ah, non, tribun-tribune, ça ne va pas. De même un carabin, une carabine… Ni un médecin, une médecine… Et puis non plus un marin, une marine… Ni un rapin, une rapine… Ni un gourmet, une gourmette…

La langue française est misogyne. Elle n'est pas généreuse envers les femmes. Elle est réticente à leur donner la place qui leur revient. Elle joue la confusion, la méprise, le cafouillage. Alors, moi, écrivain, je suis bien embêté…

Qu'est-ce que les gens vont comprendre si je dis ou j'écris : « Il faisait froid à Compostelle, et des centaines de pèlerins serraient leurs pèlerines… » ?

Qu'est-ce que les gens vont comprendre si je dis ou j'écris : « Oh, le beau tableau que ce jardinier effeuillant sa jardinière !… » ?

Qu'est-ce que les gens vont comprendre si je dis ou j'écris : « Sur ce bateau qui faisait route de la Chine vers la France, un mandarin dégustait une mandarine tandis que les matelots attendaient avec gourmandise l'heure de se régaler de matelotes… » ?

Qu'est-ce que les gens vont comprendre si je dis ou j'écris : « Sur une place de Tulle, une belle limousine était regardée avec concupiscence par plusieurs Limousins… » ?

Oui, la langue française manque souvent de clarté, de rigueur. En voici un exemple qui, justement, a été préjudiciable aux femmes. Le sexe. Le mot sexe. Il en existe deux, que je sache. Le masculin et le féminin. Or, le mot sexe est exclusivement du genre masculin. Il n'est pas normal que le mot sexe ne soit pas aussi du genre féminin. On dit bien un sexologue et une sexologue. Pourquoi ne dirait-on pas un sexe et une sexe ?

Savez-vous sous quel roi de France le mot sexe, qui vient du latin *sexus*, est apparu dans notre langue ? Sous Louis IX, dit Saint Louis. Ah, l'hypocrite ! Les ligues féministes de l'époque auraient dû exiger que le mot sexe fût à parité masculin et féminin.

Conséquence fâcheuse : quand on écrit « le sexe masculin », on commet un pléonasme. Et quand on écrit « le sexe féminin », on commet un oxymore.

Oh, vous savez, que ce soit sur le papier ou dans le lit, le sexe est toujours matière à surprises et complications !

*

Dès mon premier roman publié, sitôt que j'ai été considéré comme un écrivain, je me suis aperçu que cela n'était pas sans conséquences sur ma conversation. Elle devait être à la hauteur de ce que j'étais devenu : un type doué pour l'assemblage des mots, un artiste du verbe. Il ne fallait pas que ce que je disais fît du tort à ce que j'écrivais. Les mots qui sortaient de ma bouche ne devaient pas être indignes de ceux qui sortaient de mon stylo. Je ne pouvais plus me laisser aller à dire des banalités, des fadaises, des lieux communs. Il en allait de ma réputation, de mon statut d'écrivain.

Je donne un exemple. Je mange avec des amis. On nous sert un navarin d'agneau. Je le trouve à mon goût. Mais je ne peux pas dire : – Ce navarin est délicieux.

Parce que tout le monde, autour de la table, est capable de dire « ce navarin est délicieux ». De moi, qui suis écrivain, on attend que je qualifie ce navarin d'un ou de plusieurs adjectifs plus inaccoutumés que le sempiternel *délicieux* ou le répétitif *excellent*. C'est par une appréciation brève, mais originale, du navarin d'agneau, par quelques mots qui ne seraient jamais venus à l'esprit des autres commensaux, que je démontre que l'écrivain, c'est moi !

Alors je dis : ce navarin est irréfutable.

Ou bien : ce navarin est anthologique.

Ou mieux : ce navarin est… bocusien !

Autre exemple : nous sommes en vacances. On se lève. On va sur la terrasse. Ciel bleu, grand soleil. Il y en a toujours un qui dit : – oh ! il fait très beau ! Évidemment qu'il fait très beau, ça se voit, c'est manifeste, c'est flagrant. Le seul qui, de toute la famille, ne peut pas se permettre de dire « il fait beau », quand il fait beau et « il pleut » quand il pleut, c'est l'écrivain. Les lapalissades, les tautologies, les phrases inutiles lui sont interdites.

C'est pourtant très agréable de prononcer ces banalités de la vie de tous les jours. C'est même reposant. Mais je ne pouvais plus me laisser aller à de telles facilités. Mon auditoire (exigeant, c'est normal) en aurait été déçu. Peut-être consterné. Alors je me suis mis sous surveillance. Cela fait cinquante ans que je surveille ce que je dis, que je m'interdis les banalités d'usage, que je refuse la petite monnaie de la conversation.

Tuant. Tuant, mais gratifiant.

On a tous posé cette question et on nous l'a tous posée : – À quoi tu penses ? Et généralement on répond :

– À rien !, surtout si on pense à quelqu'un ou à quelque chose qu'on veut cacher à l'autre.

Quelque temps après la publication de mon premier livre, ma femme, me voyant la tête dans les nuages, me dit : – À quoi tu penses ?

– Oh ! à rien !

Et la voilà qui ironise : – Un écrivain qui ne pense à rien ! Un intellectuel qui a la tête vide ! Mais c'est inouï ! Cela ne s'est jamais vu ! C'est une première dans l'histoire des lettres françaises ! Tu imagines Proust ne pensant à rien ? Malraux, Camus, Sartre, la tête vide ? C'est impossible ! De deux choses l'une : ou tu m'as menti ou tu es un faux ou un mauvais écrivain...

Ah, non, je suis un authentique et prometteur écrivain ! Et pour le prouver, j'ai décidé que, plus jamais, je ne dirai que je ne pense à rien. L'ennui, c'est qu'il ne se passait pas un jour sans que ma femme, très jalouse, ne me demandât, tout à coup, à quoi je pensais. Alors, je m'étais constitué pour lui répondre un petit matelas d'idées, de citations, de réflexions politiques ou morales, dans lesquelles je puisais selon mon humeur.

– À quoi tu penses ?

– Au PIB de la France.

– À quoi tu penses ?

– À la moustache de Staline…

– À quoi tu penses ?

– Je pensais justement, tu vas rire, à la phrase de Descartes : « Je pense, donc je suis. »

Tuant. Tuant, mais stimulant…

*

Que je vous raconte mes journées à batailler avec les mots. Ensuite, je vous raconterai mes nuits…

J'aime beaucoup les mots puisqu'ils me font vivre et que, grâce à eux, j'ai acquis une certaine notoriété dans la République des lettres. Les mots sont à l'écrivain ce que sont l'argile et le marbre au sculpteur, la farine au boulanger ou les cartes au joueur de poker. L'ennui avec les mots, c'est qu'ils sont très nombreux. Il faut choisir les bons, et ce n'est pas facile. Proust en a choisi beaucoup et il ne s'est jamais trompé. Que ce soit au tirage ou au grattage, Marguerite Duras a toujours sorti les mots gagnants. On reconnaît les grands écrivains à ce qu'ils ne se trompent jamais dans le choix des mots.

Ensuite, ils ont l'art ou l'habileté de les assembler pour leur donner du sens, du charme, de la force, de l'humour ou de la beauté. On appelle cela le talent. Mais ce talent ne sert à rien si, au départ, vous avez choisi des mots qui ne sont pas compatibles les uns avec les autres.

Un matin, je me mets à mon bureau et, reprenant le manuscrit du roman auquel je travaille, j'écris cette phrase : « Dans un grand élan de sincérité, elle lui dit qu'elle ne l'accompagnera pas à la chasse en Finlande. »

Parfait.

Enfin, non, pas parfait, parce que « dans un grand élan de sincérité », c'est un cliché, un lieu commun. La sincérité se manifeste toujours par de grands élans.

Peut-être vaudrait-il mieux parler de franchise ? D'autant qu'« un grand élan de franchise » est moins conventionnel. Mais quelle différence entre franchise et sincérité ? Entre franc et sincère ? Quelles nuances ? Là-dessus je consulte tous les dictionnaires qui sont à portée de main, et il y en a beaucoup. Le *Littré*, *Le Dictionnaire de l'Académie française*, *Le Grand* et *Le Petit Robert*, *Le Grand* et *Le Petit Larousse*, le *Hachette*, le *Quillet*, le *Furetière*, le *Vaugelas*, et même le *Dictionnaire des Jésuites de Trévoux*. Oui, parce que sur la franchise ou la sincérité, les Jésuites sont assez calés…

Et puis c'est finalement dans *Le Petit Larousse* que j'ai trouvé les meilleures définitions.

« Sincère : qui s'exprime sans déguiser sa pensée.

Franc : qui ne dissimule aucune arrière-pensée. »

Pensée ou arrière-pensée ? En refusant de l'accompagner à la chasse en Finlande, elle a des arrière-pensées. Donc : franchise plutôt que sincérité.

J'ai donc écrit :

« Dans un grand élan de franchise, elle lui dit qu'elle ne l'accompagnera pas à la chasse en Finlande. »

Et c'est alors que je découvre, avec consternation, que s'il va à la chasse en Finlande, c'est pour tirer des cervidés, c'est-à-dire des chevreuils, des cerfs, des ÉLANS. Et moi qui, dans une inconsciente association d'idées, ai commencé ma phrase par un élan, mais un élan de franchise. Que je supprime immédiatement. Ce qui donne :

« Avec franchise, elle lui dit qu'elle ne l'accompagnera pas à la chasse en Finlande. »

Oui, mais on ne sent plus l'effort qu'elle a dû faire sur elle-même pour lui annoncer sa décision.

Autant écrire :

« Elle lui dit franchement qu'elle ne l'accompagnera pas à la chasse en Finlande. »

Franchement ou sincèrement ? Sincèrement puisqu'elle n'a plus d'arrière-pensées.

« Elle lui dit sincèrement qu'elle ne l'accompagnera pas à la chasse en Finlande. »

Pourquoi sincèrement ? Cet adverbe est devenu inutile, comme le sont la plupart des adverbes.

« Elle lui dit qu'elle ne l'accompagnera pas à la chasse en Finlande. »

La journée était finie. Ma femme est rentrée de son travail. Elle m'a demandé si j'avais bien écrit. Eh bien, oui, mais pas beaucoup. Une seule phrase.

– Elle doit être belle et longue ?

– Plutôt précise, ferme, définitive.

Ma femme a lu : « Elle lui dit qu'elle ne l'accompagnera pas à la chasse en Finlande. »

– C'est tout ? Ton travail de la journée ?

– Ben, oui…

Allez donc expliquer à quelqu'un pour qui les mots ne sont que de la conversation et jamais de la littérature, allez donc lui expliquer le dur combat de l'écriture.

Le défi à la page blanche, le corps-à-corps avec les mots, le domptage de la phrase.

Le choix existentiel du temps de conjugaison.

Le recours décoratif à l'adjectif ou son bannissement monacal.

Et qui, du verbe ou de l'adverbe, se fera chair ?

La preuve ontologique de la digression par la parenthèse.

La question philosophique du point à la ligne.

Allez donc expliquer tout ça à un homme ou à une femme pour qui les mots ne sont qu'un moyen de vivre, alors que pour l'écrivain ils sont sa *raison de vivre*. L'écrivain sera toujours considéré comme un être étrange qui entretient avec les mots des relations plus intimes et plus passionnées qu'avec sa femme, ses maîtresses, ses enfants, et même qu'avec ses chiens et ses chats.

Après le dîner, je suis revenu à mon bureau, j'ai relu ma malheureuse phrase de la journée et je me suis dit : Pourquoi ne l'accompagnerait-elle pas à la chasse en Finlande ? Ils sont finalement partis tous les deux.

*

La nuit, avec les mots, c'est pire que le jour.

Il y a ceux avec lesquels je cherche le sommeil ; et ceux qui, à mon insu, s'installent dans mon cerveau pendant mon sommeil.

Les premiers sont des mots que j'ai couchés sur le papier avant de coucher avec eux, les emportant avec moi quand je me mets au lit. Je ne devrais pas, mais impossible : les chasser de ma tête, c'est comme chasser les mouches d'une cuisine. Ils volettent d'un neurone à un autre. Ils se posent sur mes lobes et m'interpellent avec arrogance : es-tu sûr que je suis le mot que tu as longtemps cherché ? Ne crois-tu pas que, pour ta prose gentillette, je suis un mot trop fort, trop savant ou trop décalé ? Ne m'as-tu pas confondu avec un autre mot ? Es-tu certain de m'avoir placé dans la phrase au bon endroit ?

Toutes ces questions, qui semblent anodines, deviennent dramatiques dans l'obscurité de la chambre. La nuit, les mots sont des grenades dégoupillées, en sorte que ma recherche du sommeil s'accompagne de la destruction de ce que j'ai écrit le jour. Je suis une sorte de Monsieur Jourdain nocturne qui se demande si « Mourir vos beaux yeux, belle Marquise, d'amour me font » n'est pas préférable au banal « Marquise, vos beaux yeux me font mourir d'amour ».

Enfin, je dors.

Et c'est alors que d'autres mots sortis de je ne sais où, du diable vauvert, viennent jouer dans ma pauvre tête, se chamailler, se battre, s'injurier, comme des enfants dans une cour de récréation. C'est insupportable !

Mais il arrive aussi que certains de ces mots sympathisent, s'agglomèrent, se placent les uns derrière les autres et forment une phrase. Et cette phrase est si inattendue, si belle, si extraordinaire, qu'elle me réveille. Vite, vite, la noter avant qu'elle fiche le camp. J'allume ma lampe de chevet. Cela réveille ma femme. Elle bougonne, elle proteste.

– Pardonne-moi, chérie, mais ce serait un crime contre la littérature de ne pas noter cette phrase qui s'est d'elle-même inscrite dans mon rêve.

– Tu sais bien que ce sera comme d'habitude. Quand tu la liras demain matin, tu t'apercevras qu'elle ne vaut rien.

– Pas celle-là ! Elle est sublime !

Et je l'écris sur le bloc qui ne quitte jamais mon chevet. Ensuite, béat de fierté, j'éteins et je me rendors.

Le matin, sitôt réveillé, je me jette sur la phrase dont la beauté m'avait tiré de mon sommeil… Oh, ma femme avait raison ! Cette phrase est tarabiscotée, prétentieuse, nulle.

La nuit, comme les chats, tous les mots sont gris.

Un autre danger a longtemps menacé mes nuits : la présence dans ma chambre de livres, essentiellement des romans et des pièces de théâtre. On croit tous ces livres inertes, inoffensifs. Pas du tout ! Ils sont pleins de méchants personnages, des scélérats, des criminels, des bandits, des maudits qui cherchent, surtout la nuit, à s'évader des pages où les écrivains avaient cru les enfermer.

Ils sont irrésistiblement attirés par les innocents dormeurs allongés à quelques mètres d'eux. Ils se glissent dans leur cerveau ou sous les couettes pour y déclencher des cauchemars. Si, en plus, ils savent qu'ils ont affaire à un écrivain, à un confrère des illustres auteurs qui leur ont donné leur détestable existence, leur vengeance n'en est que plus terrible !

Combien de fois me suis-je réveillé en sueur, les doigts glacés de la statue du Commandeur me serrant la gorge ?

J'ai vu, de mes yeux vu, Thérèse Desqueyroux verser des gouttes suspectes dans mon vin ; et l'autre infernale Thérèse, la Raquin, tenter de me noyer dans ma piscine.

Qui baissait ma culotte de pyjama et levait la main pour me donner la fessée ? L'horrible Madame Mac'Miche !

Je suppliais l'impitoyable Créon d'épargner ma fiancée, la belle et courageuse Antigone.

J'étais prisonnier, sans pain, sans eau, sans lumière, de l'infâme Rastapopoulos.

J'étais Raskolnikov. Après avoir occis la banquière qui me refusait un crédit pour créer ma start-up, j'errais, hagard, désespéré, sous le poids de mon crime.

Bien d'autres personnages maléfiques sont venus troubler mon sommeil : la veuve Couderc, les Thénardier, Meursault, Fantômas, la Merteuil,

Macbeth, les Atrides, Ganelon, Nosferatu, les Dalton.

Quelle imprudence j'avais commise d'introduire dans ma chambre tous ces héros malfaisants ! Ma femme, elle aussi, se plaignait de leurs agissements criminels. Ils n'avaient évidemment pas l'élégance d'épargner l'épouse de l'écrivain !

Alors, un jour, je me suis décidé : plus un seul livre dans notre chambre ! Même la vie des saints, même l'épopée des héros de la Grande Guerre, même les Mémoires de Charles de Gaulle : dehors !

*

J'ai vécu de ma plume. Difficilement. J'ai parfois recherché une activité qui aurait ajouté quelques ressources à mes droits d'auteur. C'est ainsi que j'avais brigué une place dans le comité de rédaction du *Petit Larousse*.

J'ai été reçu par madame Larousse, personne impressionnante, fort aimable. Et probablement très stricte, comme tous les lexicographes. C'est pourquoi j'avais mis une cravate, sombre, unie. J'avais d'abord choisi une italienne, et puis je me suis dit : malheureux, on porte français, chez Larousse !

Tout de suite, madame Larousse s'est montrée soucieuse de connaître mes liens avec les mots. Comment voyais-je l'évolution du français ? Avais-je des remarques à faire sur la grammaire, sur la conjugaison, sur l'orthographe ?

– Oh, oui, sur l'orthographe, dis-je. Elle ne me paraît pas toujours judicieuse. Je puis, chère Madame, vous proposer des rectifications qui apporteraient de la cohérence à l'écriture de certains mots.

– Par exemple ?

– Eh bien, *ex-femme*, *ex-mari*. Ils s'écrivent avec un trait d'union. Ils se sont disputés, ils se sont séparés, ils ont divorcé. Faut-il continuer de leur mettre un trait d'union ? Il est inutile. Supprimons-le.

– Oui, oui, oui…

– Sur le *i* du mot *coït* il y a, fort justement, deux petits points qui s'envoient en l'air. Je vous propose, Madame, de retrouver ces deux petits points sur le *i* du mot *jouïr*. Ne serait-ce pas naturel ? Logique ?

– Ah, ah, oui, en effet…

– Considérons le mot *hippopotame*. Il désigne un animal massif, balourd. De son corps de fort tonnage émane une impression de puissance, mais aussi de maladresse. Il ne détale pas assez vite pour échapper aux chasseurs. C'est, à l'évidence, la faute à son nom qui ne compte que trois *p* pour soutenir sa masse. L'hippopotame marche sur trois pattes. Pour qu'il se déplace plus rapidement, pour qu'il soit plus assuré sur terre et dans l'eau, je vous propose d'ajouter à son nom un quatrième *p*. L'hippoppotame nous en sera reconnaissant, ne croyez-vous pas, Madame ?

– Oui, oui, probablement.

– Puis-je vous raconter un souvenir de jeunesse ?

– Mais, Monsieur, je vous en prie…

– Quand j'étais adolescent, je suivais avec passion le Tour de France. Dans ma famille, qui était croyante, très pratiquante, nous avions une idole : Gino Bartali, dit Gino le pieux. Le pieux parce que, les jours de repos du Tour de France, il allait entendre la messe. Comme il a eu beaucoup de maillots jaunes, il les offrait à la Vierge Marie dans des chapelles, des églises, des cathédrales. Nous adorions Gino le pieux. Mais nous n'aimions pas du tout son rival, un autre Italien, Fausto Coppi. Nous ne l'aimions pas parce que, marié, il vivait scandaleusement, au vu et su de la France et de l'Italie, avec l'épouse d'un directeur de l'Union cycliste internationale, une belle femme surnommée La Dame blanche. Alors, par mépris, ma famille avait surnommé Fausto Coppi, Fausto le pieu, le lit, en argot.

– Quel rapport, tout cela, avec l'orthographe ? me demanda Madame Larousse, un peu impatiente.

– J'y viens. Pardon d'être un peu long. Vous n'ignorez pas que le *x* est la lettre qui symbolise la pornographie. Or, je vous ferai remarquer que Gino le pieux prend un *x* et que Fausto le pieu n'en prend pas. C'est absurde !

– Que proposez-vous ?

– Je vous propose de retirer le *x* de l'adjectif pieux et d'ajouter ce même *x* au pieu, le lit. Ne serait-ce pas là une modification de bon sens ?

– Oui, oui, oui... Et vous avez d'autres idées comme celle-là ?

– J'en ai beaucoup. Observons, si vous le voulez bien, les mots *rhinocéros* et *éléphant*. La tête archaïque, monstrueuse, du rhinocéros s'accommode bien de la première syllabe de son nom, la lettre *h*, apparemment inutile, s'intercalant entre le *r* et le *i*. Le *rinocéros* serait banal. Avec le *rhinocéros* on voit pointer sur sa gueule ses deux défenses énigmatiques. La préhistoire s'inscrit dans son corps et dans son identité.

La tête de l'hippopotame, que j'évoquais il y a un instant, Madame, n'est pas mal non plus. Le *h* qui ouvre son nom en est la visualisation.

En revanche, le minuscule *é* au début du mot *éléphant* est sans commune mesure avec la tête volumineuse du pachyderme, ses vastes oreilles, sa trompe, ses défenses, sa mémoire phénoménale.

Avec un *h*, l'*héléphant* aurait sur le papier une tête conforme à sa nature, plus de poids, plus de volume. *La charge des héléphants*, *les héléphants d'Hannibal* (imagine-t-on Hannibal sans *h* ? C'est toute la bravoure du Carthaginois qui disparaîtrait !).

Je crois sincèrement, Madame, qu'il serait bon de modifier l'orthographe du nom de certains animaux pour que leurs noms soient en concordance avec leur morphologie.

– Oui, oui, oui, oui…

– En vérité, j'aime beaucoup la lettre *h*. Elle donne aux mots de la force, de l'amplitude. C'est pourquoi j'ajouterais volontiers un *h* à *hénorme*, un *h* à *huniversel*, un *h* à *himmensité*, un *h* à *habsolutisme*, un *h* à *horage*, un *h* à *houragan*, un *h*…

– Calmez-vous, m'a dit Madame Larousse, calmez-vous. Voulez-vous de l'*haspirine*, avec un *h* ?

Elle n'a retenu ni mes suggestions ni mes services. Je les ai portés à son rival, monsieur Robert. Il n'en a pas voulu non plus. Hélas !

Hélas ! Avec un *h*…

*

Enfin, *Apostrophes* !

Pivot s'est toujours vanté d'avoir invité les écrivains qui comptent dès leur premier livre.

Foutaises ! Il a attendu mon huitième ! À la fin, c'en devenait gênant. Et pour lui et pour moi. Pour lui parce que son ostracisme relevait soit de l'aveuglement, soit de la mauvaise foi. Pour moi aussi, c'était gênant parce que pour ma famille, mes amis, mes voisins, mes fournisseurs, je n'étais pas un vrai écrivain puisqu'ils ne me voyaient jamais à *Apostrophes*... *Apostrophes*, c'était le certificat, le label, l'onction !

Quand mon éditeur a appris mon invitation, il a ouvert une bouteille de champagne et il a commandé un tirage supplémentaire de dix mille exemplaires de mon livre, un roman, *Les ambitions paraplégiques*.

Mon éditeur et mon attachée de presse ont organisé une sorte de répétition d'*Apostrophes*, une séance pendant laquelle ils m'ont posé les questions que, selon eux, Pivot me poserait inévitablement. Ils avaient étudié sa méthode, ses trucs, ses manies, et sur la douzaine de questions qu'ils m'avaient balancées en l'imitant, il était certain qu'il y en aurait quatre ou cinq auxquelles je ne couperais pas.

Jean d'Ormesson, un habitué de l'émission, avait publié un petit texte dans lequel il expliquait comment il se préparait à *Apostrophes*. J'ai suivi ses conseils. La veille de l'émission, dîner léger, sans alcool. Surtout, comme les athlètes, pas de fatigue charnelle avant le sommeil ! Le lendemain, un petit-déjeuner vitaminé, avec œuf, jambon et fruits frais. Puis une longue séance de gymnastique, car cette fatigue-là est bonne pour maintenir l'esprit en forme et en alerte. Le jour d'*Apostrophes*, on ne se relit pas, on n'écrit pas, on lit des confrères d'avant la télévision : Voltaire, Rousseau, Alexandre Dumas, Stendhal, Maupassant, etc. Moi, comme d'Ormesson, j'ai relu Chateaubriand.

Déjeuner léger. Sieste très courte. Longue promenade. Au retour, une toilette minutieuse. Une revigorante douche froide plutôt qu'un bain chaud émollient. Costume sombre, chemise blanche. Cravate ou pas cravate ? J'ai longtemps hésité. La cravate en impose, elle rassure, elle ajoute une touche d'élégance et de classicisme. Oui, mais mon roman *Les ambitions paraplégiques* n'est pas du tout dans la tradition classique. C'est neuf, c'est osé, c'est moderne. Donc, pas de cravate ! Ainsi serai-je raccord avec l'esprit de mon livre. Et puis, le col ouvert, ça fait plus jeune !

À l'émission, invités comme moi, il y avait, entre autres, Roger Peyrefitte et Jean d'Ormesson – d'Ormesson, lui, il était là, tous les vendredis soir ! Mon éditeur m'avait dit : « S'il y a une polémique, vous n'entrez pas dedans, c'est très mauvais pour la vente des livres. » Alors, comme d'Ormesson et Peyrefitte n'ont pas arrêté de se chicaner, de se quereller, de s'invectiver, je n'ai rien dit. À sept ou huit minutes de la fin de l'émission, Pivot s'est enfin aperçu de ma présence ! Alors il m'a posé trois ou quatre questions, aucune de celles que j'avais préparées avec mon éditeur ! Un désastre !

À la sortie du studio d'Antenne 2, mon éditeur m'a dit :

« Nous n'irons pas souper. Je dois faire des économies. Les dix mille exemplaires que j'ai eu l'imprudence de retirer pour *Apostrophes*, je les ai maintenant sur les bras… »

Et comme il avait quand même gardé un peu d'humour, il a ajouté : C'est une catapostrophes !

*

Et puis, un jour de début novembre, après la déception d'*Apostrophes* – oh là là ! quelle chance ! –, prix Goncourt ! Oui, moi, prix Goncourt !

Mon nom, prix Goncourt, en grosses lettres sur fond rouge à la devanture des librairies ! Prix Goncourt en lettres énormes sur des affichettes ! Prix Goncourt au cul des autobus ! Ça en jette !

Ce n'était pas mon premier prix littéraire. Avant, j'avais obtenu : le prix de la fête de la Rose de Ratamouche-sur-Cère ; le prix Sang d'Encre des lycéens du Tarn-et-Garonne ; le prix Émile Faguet, décerné par l'Académie française.

Comme Jeanne d'Arc à Domrémy, j'avais eu trois voix… au prix RTL-*Lire*.

Et puis, le prix Goncourt ! À ma surprise, à la surprise de mon éditeur et même à la surprise du jury !

Mon roman, *À la barbe du temps*, l'a emporté au sixième tour de scrutin par six voix sur dix.

Une voix au premier tour.

Une deuxième voix au deuxième tour.

Une troisième voix au troisième tour…

et ainsi jusqu'à six voix au sixième tour.

L'Académie Goncourt serait-elle allée jusqu'au dixième tour, peut-être aurais-je eu le prix à l'unanimité, comme Michel Tournier en 1970.

Il faut dire que la critique avait été enthousiaste. Je n'aurai pas l'immodestie de vous lire les extraits des articles consacrés à *À la barbe du temps*. Tous vraiment très élogieux. Avant le Goncourt. Parce qu'après, le ton a changé, la presse a moins aimé. Le titre du roman se prêtait à des plaisanteries faciles. « *À la barbe du temps* ? Un peu rasoir, non ? L'auteur aurait dû couper… »

Peu importe, ce qui comptait pour moi, c'était d'être en quelque sorte le successeur de Proust, de Malraux, de Simone de Beauvoir, de Julien Gracq, de Romain Gary, de Tournier, de Duras, de Modiano, tous prix Goncourt avant moi. Du jour au lendemain, je me suis retrouvé en très bonne, en prestigieuse compagnie.

Et puis mon roman s'est vendu à quatre cent soixante-quinze mille exemplaires. Plus les poches, plus les éditions club, plus les traductions dans trente-trois pays. Le pactole ! Le gros lot ! Une fortune !

Alors, comme beaucoup de lauréats du Goncourt, j'ai acheté un appartement et j'ai changé de femme et de voiture. On ne mesure pas assez l'influence du prix Goncourt sur le marché de l'immobilier, de l'automobile et du matrimonial.

Ce nom de Goncourt, ce mot, Goncourt, sitôt entré dans ma vie, n'en est plus ressorti. Impossible de parler de moi sans qu'il soit mentionné que j'ai eu le prix Goncourt. C'est une marque, c'est une référence, c'est un label, c'est un poinçon, c'est un blason.

Ma concierge :

– Qui ? Vous cherchez qui ? Ah, le Goncourt ! Quatrième !

Dans l'autobus :

– Monsieur, vous qui avez eu le Goncourt, pouvez-vous me dire s'il vaut mieux pour ma fille qu'elle fasse chinois ou arabe en troisième langue ?

Une prostituée de haut vol :

– Savez-vous que vous êtes mon second prix Goncourt ?… Non, je ne vous dirai pas qui était le premier. Secret professionnel.

Dans une manif syndicale, alors que je passais là par hasard :

– Le Goncourt avec nous ! le Goncourt avec nous !

L'autre soir, dans une réception mondaine, l'hôtesse m'a accueilli en minaudant :

– Et voilà notre prix Goncourt…

Ça fait trente ans que je l'ai eu !

Hier, c'était mon anniversaire. Mes petits-enfants m'ont dit :

– Papy, pour ton anniversaire, on t'offre un tatouage « Prix Goncourt ».

J'hésite…

*

Quand je fais le bilan de ma vie d'*écrivain* – une trentaine de livres publiés, sans compter les manuscrits abandonnés, les chapitres retirés, les phrases rayées, les mots biffés –, quand je fais aussi le bilan de ma vie de *lecteur* – des centaines et des centaines de livres, des milliers de journaux et de revues –, quand je fais le bilan de ma vie d'écrivain et de lecteur, je suis effaré par le nombre de mots, des millions, des milliards peut-être, qui me sont passés sous les yeux…

Tous ces mots étaient à ma disposition, à mon service, à ma botte. Ils étaient corvéables à merci. Ils s'offraient, jour et nuit, à ma curiosité, à mes envies, à mes plaisirs, à mon humeur. Lus ou écrits, tous ces mots m'appartenaient, ne serait-ce que le temps de les découvrir sous la plume d'un autre ou de les fixer de la mienne.

Les écrivains sont des despotes qui règnent sur le peuple, l'immense peuple des mots.

Oui, tout ça est bien joli, mais c'est faux.

Les écrivains ne sont que des tigres de papier.

Bien loin de régner sur les mots, ce sont eux, les écrivains, qui sont occupés, envahis, submergés, par ces milliers et milliers de petites bêtes qui tantôt sont immobiles comme des araignées, tantôt s'avancent en rampant telles des chenilles, tantôt leur sautent dessus comme des sauterelles.

Les mots sont partout, on en voit même, tatoués, sur la peau des hommes et des femmes quand ils ne leur ont pas brisé le cœur ou ne leur sont pas montés au cerveau. Il y a des mots qui blessent et il y a des mots qui tuent. Il y a des mots tabous et il y a des traîtres mots. On croit avoir le dernier mot et c'est déjà un mot posthume.

Oui, bien sûr, on déguste des phrases. On savoure des textes. On boit des paroles. On dévore des livres. On s'empiffre de mots. Écriture et lecture relèvent de l'alimentation. Mais la vérité est tout autre : ce sont les mots qui nous grignotent, c'est la syntaxe qui nous mâche, c'est la grammaire qui nous boulotte, ce sont les livres qui nous avalent.

Qu'est-ce qu'un roman, une biographie, une autobiographie, des mémoires, des carnets, un journal intime, sinon l'absorption et la digestion par un livre de la vie d'un homme ou d'une femme ?

*Au secours ! les mots m'ont mangé…*

Les livres sont d'implacables envahisseurs. Telles les multitudes d'escargots dans les romans de Patricia Highsmith, ils escaladent les murs, poussent jusqu'aux plafonds, s'installent sur les cheminées, sur les tables, sur les guéridons, se fixent dans les encoignures, pénètrent dans les armoires, les commodes et les coffres et, quand ils demeurent à terre, ils prolifèrent sur la moquette ou sur le parquet en piles instables et arrogantes.

Car les livres ne se contentent pas d'occuper les bibliothèques où ils sont assignés à résidence.

Plus l'écrivain-lecteur vieillit, plus ils se montrent de féroces colonisateurs. Ils bouffent chaque année un peu plus d'espace. Leur voracité se révèle d'autant plus efficace qu'elle est silencieuse et que leurs lentes avancées se font sous le couvert rassurant de la culture, avec la bénédiction des professeurs, avec les encouragements des critiques et avec la collaboration diarrhéique de nous autres, écrivains graphomanes.

*Au secours ! J'ai été asphyxié par les mots…*

*

Et pourtant, que de jolis mots !

En particulier les mots de la table. Le vol-au-vent, la bouchée à la reine, l'oreiller de la belle Aurore, un croquembouche, un puits d'amour, le croque-monsieur, le croque-madame, la dame blanche, la belle Hélène, le gâteau des rois, le pet-de-nonne, la langue-de-chat…

Et les noms des sauces ! La gribiche, la ravigote, la blanche, la piquante, la diable, la bigarade, la mousseline, la poulette, oh, la poulette !…

Et les noms des fleurs ! La campanule, le perce-neige, la reine-des-prés, la reine-marguerite, la giroflée, la dame-d'onze-heures, la belle-de-nuit, le bouton-d'or, la crête-de-coq, la gueule-de-loup, le pied-d'alouette, le souci, mon beau souci…

Et les noms d'oiseaux ! (je proteste contre l'expression : s'envoyer des noms d'oiseaux, s'accabler d'injures, alors que les noms d'oiseaux sont si beaux...) La tourterelle, le rouge-gorge, le rouge-queue, la hulotte, le grand-duc, le martin-pêcheur, la linotte (et sa petite tête), la rousserolle, la pie-grièche, la bergeronnette, le gobe-mouches, et l'albatros, cher à Baudelaire...

Mais tous ces jolis mots, qui respirent le bonheur de vivre, ne doivent pas nous faire oublier d'autres mots, pour la défense desquels des millions d'hommes et de femmes sont morts depuis l'aube des temps.

Il suffit, parfois, de juste prononcer les mots liberté, ou démocratie, ou foi, ou espérance, ou tolérance, ou l'expression « en mon âme et conscience », et vous êtes mort...

Mais, bon, vous n'êtes pas venus ici, ce soir, pour pleurer ou pour prendre les armes. Je préfère vous divertir.

Avec, par exemple, le mot *ego*.

Mot masculin, forcément.

Mot invariable. Un ego ne varie pas, reste toujours au sommet de sa considération. Jamais de *s* à ego car ce serait le mélanger avec d'autres petits ego, avec des moi moi moi subalternes.

Et surtout pas d'accent sur le *e*, malheureux ! Car vous commettriez un pléonasme, puisqu'il est dans la nature de l'ego de toujours mettre l'accent sur lui.

*

Dans *L'Étranger*, de Camus, il y a un personnage qui ajoute à toutes ses phrases : « … et je dirai plus ».

C'est à peu près le même tic de langage dont souffrent Dupond et Dupont, les deux policiers amis de Tintin. À tour de rôle, ils annoncent : « Je dirai même plus… »

Eh bien, j'ai connu une femme qui avait la même manie de prononcer à tout bout de champ le même mot. Un joli mot d'ailleurs. *Nonobstant*… Elle disait à son mari :

– Nonobstant toutes les formes de pain fantaisie, je préfère que tu achètes une baguette.

Ou bien : – Je t'ai appelé deux fois sur ton portable. Nonobstant tes responsabilités, ton travail, tu aurais pu me répondre !

Ou encore : – Chéri, si on partait en week-end à Deauville, nonobstant les enfants que nous laisserions à ma mère ?

Son mari, après l'amour : – Alors, heureuse ?

Elle : – Oui, oui, très bien. Nonobstant ces mouvements que tu fais quand… (la suite est privée).

Il lui a suggéré de remplacer de temps en temps nonobstant par : *en dépit de*, *malgré*, *bien que*, *quoique*, *cependant*, *néanmoins*, *au demeurant*…

Elle lui répondait : – Moi, je préfère nonobstant qui est plus distingué, plus littéraire, plus classe. Tous ces adverbes et prépositions que tu me suggères – nonobstant leur côté pratique, j'en conviens – sont d'une grande banalité.

Leurs amis l'avaient surnommée « la nonobstante ». Elle, elle s'en fichait. Mais pas lui ! Il souffrait d'être l'époux d'une femme qui, à travers l'emploi immodéré de ce mot, révélait une nature compliquée. Car tous ses nonobstant signifiaient qu'elle était toujours dans la restriction, dans la réticence, dans l'exclusion, voire dans l'opposition. Jamais tout à fait décidée ou contente. Toujours à ajouter des détails, des réserves, des pinaillages, des nonobstant.

Il a tenu cinq ans, le pauvre homme ! C'est beaucoup.

Au bout de cinq ans de mariage, il a demandé le divorce. Pour cruauté mentale.

Il a eu de la chance de tomber sur un juge compréhensif. Car il était lui-même affligé d'un tic de langage. Il avait la manie de commencer ses phrases par « attendu que… »

– Attendu qu'il va pleuvoir…

– Attendu que les tomates n'ont plus de goût…

– Attendu que la pharmacie n'ouvre qu'à 9 heures…

– Attendu que ce gouvernement n'est composé que d'incapables…

– Attendu que le Messie se fait attendre…

Et cætera, et cætera…

Attendu que sa femme n'a pas supporté plus d'un an ses « attendu que… », le juge est très admiratif de ce type qui a supporté pendant cinq ans les « nonobstant » de son épouse.

Alors, il a considéré légitimes les raisons du divorce et il a rendu un jugement plutôt favorable au mari.

Voici le dernier paragraphe de ce jugement :

« Attendu que nul n'est censé rester dans l'indivision, la maison commune sera vendue. Les deux parties en toucheront la moitié, nonobstant les frais du divorce à soustraire de la part de Madame… »

*

Le pire pour un homme d'aujourd'hui, c'est de lire sur son ordinateur : « Vous n'êtes pas connecté à Internet ».

Ça, c'est terrible ! Parce que c'est humiliant, c'est insupportable. Vous vous sentez tout à coup rejeté du monde actif, rejeté du monde moderne. Vous n'êtes plus dans le coup. Vous n'êtes plus rien ! Vous êtes *déconnecté*, c'est-à-dire semblable à un vieil appareil qu'on ne recharge plus, dont on a perdu la prise. Vous êtes vieux ou malade ou inutile ou ringard. Vous êtes déconnecté de la vraie vie.

Le monde a toujours été divisé en deux. Les hommes et les femmes ; les maîtres et les esclaves ; les riches et les pauvres ; ceux qui croient en Dieu et ceux qui n'y croient pas. Il y a maintenant une nouvelle division : ceux qui sont connectés à Internet et ceux qui ne le sont pas !

Évidemment, je suis de ceux qui sont connectés à Internet. Je suis très arobase, très très arobase…

L'autre soir, je suis allé dîner chez une dame avec qui je comptais bien passer la nuit. Après le repas, je ne sais plus pourquoi, elle a ouvert son ordinateur, et, penché sur elle, déjà la main sur sa nuque et dans son décolleté, j'ai lu par-dessus son épaule : « Vous n'êtes pas connecté à Internet. » J'ai aussitôt retiré ma main. J'ai pris mon chapeau. Et je suis parti.

Est-ce qu'en 2016, on peut faire l'amour à une femme ou à un homme qui n'est pas connecté à Internet ?

*

Pourquoi n'ai-je pas écrit mes Mémoires ?

Les journalistes me posent souvent la question. J'élude, je louvoie, je mens. À vous, je puis dire la vérité.

J'en avais commencé la rédaction et j'en étais arrivé au portrait de ma mère. Femme très belle, épouse aimante, mère admirable, enfin, cuisinière épatante. Sa purée de pommes de terre, entre autres délices faits maison, était un sommet de la cuisine familiale. Elle la faisait avec des belles de Fontenay ou des rosevals, et, dans les grandes occasions, elle mélangeait belles de Fontenay, rosevals et charlottes, comme les vignerons du Médoc font des assemblages de merlot, de cabernet sauvignon et de petit verdot. C'était la meilleure purée du monde !

Or, il se trouve que le jour même où j'écrivais monts et merveilles de la purée de maman, pour la première fois, je suis allé déjeuner chez Joël

Robuchon. Et j'ai commis l'erreur de commander sa purée. Oh ! Ah ! Crémeuse, onctueuse, goûteuse, voluptueuse... Faite avec des rattes et beaucoup de beurre. La meilleure purée que j'ai jamais mangée !

Mais non, c'était celle de ta mère, allons, reprends-toi.

C'est de la purée de Robuchon que j'ai repris !

Tu reprenais aussi de celle de ta mère !

Oui, mais celle de Robuchon est la meilleure du monde.

Non, c'était celle de ta mère !

Non, hélas, pardon maman, c'est celle de Robuchon...

Rentré chez moi, triste, dégoûté, j'ai rayé dans le manuscrit de mes mémoires que la purée de maman était la meilleure du monde et qu'elle ne serait jamais égalée, encore moins surpassée. Du coup, sa purée, la purée de mon enfance, devenait quelque chose de banal. Une bonne purée, certes, mais qui ne méritait plus que j'en fasse le panégyrique.

Alors, pourquoi en parler ?

Parle plutôt, me suis-je dit, de son gâteau de foies blonds de volaille, de son poulet au vinaigre, de sa pochouse aux quatre poissons, de son gratin de cardons à la moelle…

Mais non, c'est sa purée qui était le joyau de sa cuisine et c'est sa purée autour de laquelle tournent et s'organisent les souvenirs gourmands de mon enfance. Et voilà que cette purée a perdu de sa saveur et de son prestige. Ma mémoire en est blessée. Je découvre que ma jeunesse n'était pas aussi exceptionnelle que je le croyais, que ma vie ne mérite probablement pas que je lui consacre un livre.

J'ai donc abandonné l'écriture de mes Mémoires. À cause de la purée de Robuchon…

*

Il est un mot que l'écrivain ne doit pas rater : c'est le dernier ! La dernière phrase qu'il prononce avant de rendre son dernier souffle. Ce mot qui entrera peut-être dans les anthologies des ultimes pensées des grands de ce monde, en particulier des écrivains.

Balzac appelait Bianchon. « Seul Bianchon peut me sauver ! » C'était un médecin, mais un médecin imaginaire, personnage inventé de *La Comédie humaine*.

Je préfère le dernier mot de Tchekhov : « Il y a longtemps que je n'ai pas bu de champagne. » Et il est mort ! Admirable !

Il y a un problème : l'écrivain doit-il préparer le dernier mot qu'il dira sur son lit de mort ou doit-il s'en remettre à l'improvisation ? Doit-il concocter, longtemps à l'avance, cette ultime déclaration qui deviendra peut-être historique ou doit-il faire confiance à la sincérité et à la spontanéité d'un moment à nul autre pareil ?

Un grand écrivain avait choisi son dernier mot au moins vingt ans avant sa mort. Il en avait averti ses proches, mais sans le leur révéler, bien sûr.

Le jour fatal, toute sa famille était réunie autour de son lit, attendant la phrase finale. Suspense, suspense. Silence très impressionnant. Puis, le grand écrivain, dans un dernier effort, s'est légèrement soulevé et il a dit : « Je ne me souviens pas ». Et il a rendu l'âme.

Les hommes et les femmes de la famille se sont regardés, interloqués, dubitatifs, perplexes. Et puis un neveu du grand écrivain a dit : « Pas terrible, comme dernier mot ! Je m'attendais à mieux… »

La mémoire du grand écrivain avait flanché au dernier moment. Il y a un risque de ne plus se rappeler la phrase qu'on avait si amoureusement travaillée, caressée…

Eh bien, en dépit de ce risque, j'ai préparé trois derniers mots. Je choisirai au dernier moment. Et si je suis dans l'incapacité de m'en souvenir, je vous en fais aujourd'hui la confidence. Comme ça, vous saurez ce que je voulais dire et que je ne dirai peut-être pas.

Ce sera : « Vous savez s'il y a un mot de passe ? » Et toc !

Ou alors : « J'aimerais bien avoir encore l'occasion de chercher mes mots. » Et toc !

Ou encore : « J'emporte avec moi un mot, un seul : le mot "demain". » Et toc !

Vous aurez remarqué que ce sont trois derniers mots tournés vers l'avenir… Je suis très optimiste !

*

Et puis, un jour, si Dieu existe, je me présenterai devant Lui.

Et là, problème de protocole : est-ce à moi de Le saluer en premier ou dois-je attendre qu'Il m'adresse la parole ?

J'ai consulté là-dessus les meilleurs manuels de savoir-vivre. *Les Usages du monde*, de la baronne Staffe, *Le vrai manuel du savoir-vivre*, de la comtesse de Boissieux, *Le savoir-vivre* selon Nadine de Rothschild.

Eh bien, pas un mot sur la manière de se comporter devant Dieu, aucun conseil sur la façon de se présenter à Lui. Chapeau ou pas chapeau ? Cravate ou pas cravate ? Bras ballants ou mains jointes ? La baronne Staffe, la comtesse de Boissieux et Nadine de Rothschild sont intarissables sur le placement à table d'un repas réunissant un académicien, un archevêque, un ambassadeur, un duc et un ministre, mais sur le protocole que doit suivre la créature devant son Créateur, rien ! Or, il y a une chance sur deux que nous, créatures, nous rencontrions notre Créateur, alors que les probabilités de réunir à dîner un académicien, un archevêque, un ambassadeur, un duc et un ministre sont très très minces…

Il me semble que j'attendrai que le Seigneur me parle. Et qu'Il me dise peut-être :

– Ah, je suis très content de vous voir ! Éclairez-moi sur un point d'orthographe. Aux noms qui se terminent par *ou* et qui prennent un *x* au pluriel : bijou, caillou, chou, genou, hibou, joujou, pou, faut-il, selon vous, ajouter ripou ?

– Oui, oui, ripou avec un *x*, Seigneur. Et même tripou.

Mais si c'est moi qui dois parler à Dieu, je lui dirai :

– Seigneur… Euh ! Seigneur… Seigneur… (il faudra que je montre de la surprise, de la sidération même, en tout cas de l'émotion, il faudra que je manifeste un trouble, bien compréhensible, un peu comme quand Patrick Modiano répond à une interview)… Seigneur… me trouver là, c'est… c'est bizarre… Je vous remercie… de tous les mots que vous… enfin, tous ces mots que vous m'avez… je les ai utilisés…

pour écrire mes livres… Mais peut-être… oui, enfin, peut-être que j'aurais dû… en employer plus… pour parler plus de vous, Seigneur…

Dieu lit Modiano. Dieu aime Modiano. Dieu est intelligent et bon. Mais Dieu a un peu vieilli.

C'est pourquoi j'aurai la surprise de l'entendre me dire, oui, à moi :

– Soyez le bienvenu, cher Patrick Modiano. Tous les prix Nobel de littérature ont leur ticket d'entrée au Paradis. Les prix Goncourt, non, je fais le tri, il y a du bon et du moins bon… Mais les Nobel de littérature !

Et c'est ainsi que, confondu par Dieu avec Modiano, j'entrerai au Paradis…

Ainsi soit-il.

## *Remerciements*

Par ordre d'entrée en scène :

Jean-Michel Ribes
Amine Khaled
Françoise Rossinot
Jérôme Garcin
Jean-Paul Bazziconi
sans oublier les… mots

DU MÊME AUTEUR

L'Amour en vogue
*Calmann-Lévy, 1959*

La Vie oh là là
Chroniques
*Grasset, 1966*

Les Critiques littéraires
*essai*
*Flammarion, 1968*

Le Football en vert
*album*
*Hachette-Gamma, 1980*

Le Métier de lire
Réponses à Pierre Nora
*Gallimard, 1990*
*et « Folio », nº 3552*

Remontrance à la ménagère de moins de cinquante ans
*Plon, 1998*

Les Dictées de Bernard Pivot
*Albin Michel, 2002, 2004*
*et « Le Livre de poche », nº 30500*

100 mots à sauver
*Albin Michel, 2004*
*et « Le Livre de poche », nº 30663*

Dictionnaire amoureux du vin
*Plon, 2006*
*Plon/Flammarion, 2013*
*et « Pocket », nº 15167*

100 expressions à sauver
*Albin Michel, 2008*
*et « Le Livre de poche », nº 31882*

Les Mots de ma vie
*Albin Michel, 2011*
*et « Le Livre de poche », nº 32877*

Oui, mais quelle est la question ?
*Nil, 2012*
*et « Pocket », nº 15646*

Les tweets sont des chats
*Albin Michel, 2013*
*et « Le Livre de poche », nº 33916*

La mémoire n'en fait qu'à sa tête
*Albin Michel, 2017*

RÉALISATION : IGS-CP À L'ISLE-D'ESPAGNAC (16)
IMPRESSION : MAURY IMPRIMEUR À MALESHERBES (45)
DÉPÔT LÉGAL : NOVEMBRE 2017 - N° 134165 (221916)
IMPRIMÉ EN FRANCE